W9-CQH-612

Sonnenblumen für dich

Ausgewählt von Dorothée Bleker

Groh Fotokunst Verlag

Sonnenblumen – mit ihrer leuchtend gelben Farbe sind sie geradezu ein Sinnbild für Licht, Wärme und Sonne. Schon die Inkas, von denen diese Blume vor über vierhundert Jahren nach Europa kam, wussten um die positive, lebenswichtige Energie der Sonne, die sich in der Sonnenblume widerspiegelt. Wer kennt nicht die Leuchtkraft üppiger Felder voller Sonnenblumen, die sich fröhlich im leichten Sommerwind wiegen und ihre Köpfe gemeinsam zu jeder Tageszeit der wandernden Sonne entgegenstrecken? Jede einzelne Blüte scheint dem Leben zuzulachen, es freudig zu begrüßen und zu feiern.

Ich wünsche dir, dass auch du die Sonne im Leben nie aus den Augen verlierst und wie die Sonnenblume einen Vorrat an Fröhlichkeit und Kraft sammelst.

Frohsinn und Fröhlichkeit
gehören zu den wunderbarsten
und reichsten Kraftquellen
für die Seele.

Johannes Messner

Alle Schöpfung
richtet sich nach dem Licht aus,
streckt sich der Sonne entgegen,
aufrecht und klar.
Ohne Licht gibt es kein Leben.

Anne Hamacher

Der größte Reichtum
der Menschen
ist ihre Fähigkeit, einander
glücklich zu machen.

Irmgard Erath

Einfach Mensch sein,
einfach leben. In die Luft gucken,
die Sonne sehen und in der Nacht die Sterne.
Kindern zuschauen, lachen, spielen,
tun, was Freude macht, zufrieden sein:
Das Leben wird ein Fest.

Phil Bosmans

Es ist wahr:
Die Blumen können uns
nicht ernähren, aber sie machen
die Freude des Lebens aus.

Andrè Gide

*Wir sollten keinen Tag
unseres Lebens vorübergehen lassen,
ohne ein gutes Wort zu sagen,
ohne einem anderen zuzulächeln,
ohne jemandem eine Freude zu machen.*

Irmgard Erath

Lachen und Zufriedenheit
sind Vitamine unseres Alltags.

Dagmar C. Walter

Das Wichtigste
bei unserer Suche
nach dem Glück ist, dass wir
an den kleinen Freuden
nicht vorübergehen.
Sie sind die Blumen,
die unser Leben erst bunt
und schön machen.

Irmgard Erath

Glücklich der Mensch,
der jedem Tag voller Erwartung
wie einem neuen Lebensbeginn
entgegensieht.

Walter Reisberger

Mein Herz ist ein Baum,
beladen mit Früchten,
die ich pflücke,
um sie zu verschenken.

Khalil Gibran

Freude ist das Leben
durch einen Sonnenstrahl
hindurch gesehen.

Carmen Sylva

*Mit jedem Lächeln,
das wir verschenken,
bauen wir Brücken
der Menschlichkeit.*

Günter Goepfert

Was macht es schon,
wenn mal die Sonne nicht scheint?
Wir können Sonnenlicht im Herzen tragen
und in unserem Innersten
viele kleine Sterne der Hoffnung
zum Leuchten bringen.

Irmgard Erath

*Heiterkeit und Frohsinn
ist der Himmel,
unter dem alles gedeiht.*

Jean Paul

Ein ganzes Feld
voller Sonnenblumen wiegt
sich im Wind. Ist's nicht,
als ginge die Sonne auf
beim Anblick dieses Feldes,
als käme wieder mehr Licht
in unsere Seele?

Ingeborg Raus

Es liegt sehr oft nur an uns,
unserem Alltag die kleinen Lichttupfer
zu geben, die alles heiterer machen.
Wenn unser Herz bereit ist, Glücksmomente
aufzunehmen, werden wir erstaunt sein,
wie viele glückliche Augenblicke
auf uns zukommen.

Aenne Burda

Wende dein Gesicht
der Sonne zu,
dann fallen die Schatten
hinter dich.

aus Afrika

Die Blüte der Sonnenblume
wirkt wie ein Lachen, wie Freude,
und der Mensch, der sie anschaut,
nimmt diese Botschaft auf
und die Seele wird gesund.

Astrid Meyer

Fröhlichkeit
ist die Sonne, die alles
zum Blühen bringt.

Herbert Madinger

Ja sagen zum Leben
heißt auch
ja sagen zu sich selbst.

Dag Hammarskjöld

Das Lächeln,
das du aussendest,
kehrt zu dir zurück.

aus Indien

Das Glück wohnt in uns;
Zufriedenheit und Dankbarkeit
verleihen ihm Flügel.

Brigitte Theilen

Sonnenblumen für dich ist auch der Titel eines Kalenders
aus dem Groh Fotokunst Verlag.

In gleicher Ausstattung gibt es im Groh Fotokunst Verlag
das Buch **Rosen für dich** (ISBN 3-89008-571-7).

Bildnachweis:
Titel u. S. 39: Georg Popp; S. 2: Georg Popp; S. 5: Wolfgang Dreyer; S. 7: Gerald Schwabe;
S. 9: Elisabeth Fuchs-Hauffen; S. 11: Heike Pirngruber; S. 13: Robert Spönlein; S. 15: Bildarchiv
Fiebrandt; S. 17: Anna Porizka; S. 19: Rolf Blesch; S. 21: Ruth Rau; S. 23: Silke Mors;
S. 25: Wolfgang Dreyer; S. 27: Heike Pirngruber; S. 29: Bernd Milewski; S. 31: Erich Tomm;
S. 33 u. Rückseite: Wilfried Wirth; S. 35: Erika Burk; S. 37: Bildarchiv Fiebrandt; S. 41 Photo-
Center Greiner und Meyer; S. 43: Ulrike Ogan; S. 45: Jürgen Pfeiffer; S. 47: Reinhard Schäfer.

Wir danken allen Autoren bzw. deren Erben, die uns freundlicherweise die Erlaubnis zum Abdruck
von Texten erteilt haben, sowie dem Verlag Herder, Freiburg, für den Text von Phil Bosmans
und dem Verlag Aenne Burda, Offenburg, für den Text von Aenne Burda, © Frauenkalender 1992.
Der Text von Astrid Meyer erschien in der Zeitschrift KA+dasZeichen Juli/August 2000.

ISBN 3-89008-572-5
© 2001 Groh Fotokunst Verlag GmbH & Co. KG
Wörthsee bei München • www.groh.de